90 DAY

A POWERFUL TOOL TO HELP MUSICIANS OF ALL SKILL LEVELS ACHIEVE THEIR GOALS.

MICK COSTELLO

Copyright © 2022 Mick Costello

All rights reserved. No part of this publication may be reproduced, distributed, or transmitted in any form or by any means, including photocopying, recording, or other electronic or mechanical methods, without the prior written permission of the publisher, except in the case of brief quotations embodied in critical reviews and certain other noncommercial uses permitted by copyright law.

Costello, Mick (author)

90 DAY MUSICIAN'S DIARY

ISBN: 978-1-922803-29-0

MUSIC BOOK

Typesetting - Calluna Light 14/26
Book design by Green Hill Publishing

YOU'LL BE SURPRISED WHAT CAN BE ACHIEVED IN 90 DAYS

- Set achievable goals and knock them over like dominoes.
- Do not skip days.
- Write an entry every day, even if you didn't play a thing that day.
- Most importantly: STICK WITH IT! Don't give up halfway, everything is hard before it gets easy.

LEARN

Skipping this part will hold you back. If you just learn basic theory, it will take away some of the confusion when navigating your way around the fretboard. Also, you do not need a guitar to learn basic theory: you can do it anytime.

PRACTICE

Spend time on technique, like chord changes, picking technique, strumming/rhythm, dexterity, and dynamics. It shouldn't be a chore, so make it enjoyable by setting speed and accuracy challenges.

PLAY

Play the songs you love and always wanted to play. Write your own songs and be free on the guitar.

"Sometimes you want to give up the guitar, you'll hate the guitar. But if you stick with it, you're gonna be rewarded."

- *Jimi Hendrix*

WRITE DOWN YOUR GOALS

Don't over think this part, keep it simple and add things as your journey evolves.

Write your goals on the next page like signing a yearbook,
write sideways, use colour, draw pictures, and even get family and friends to write encouraging words.

Revisit this page often, especially if you end up in a rut.

/ / **DAY 1**

PROGRESS NOTES   HRS/MIN

LEARN

PRACTICE

PLAY

TOTAL TIME

SHORT TERM GOALS   NOTES

90 DAY MUSICIAN'S DIARY   1

/ / **DAY 2**

	PROGRESS NOTES	HRS/MIN
LEARN		
PRACTICE		
PLAY		
	TOTAL TIME	

SHORT TERM GOALS

NOTES

/ / **DAY 3**

LEARN

PRACTICE

PLAY

PROGRESS NOTES

HRS/MIN

TOTAL TIME

SHORT TERM GOALS

NOTES

/ / DAY 4

LEARN

PRACTICE

PLAY

PROGRESS NOTES

HRS/MIN

TOTAL TIME

SHORT TERM GOALS

NOTES

4   90 DAY MUSICIAN'S DIARY

/ / **DAY 5**

LEARN

PRACTICE

PLAY

PROGRESS NOTES

HRS/MIN

TOTAL TIME

SHORT TERM GOALS

NOTES

/ /   DAY 6

	PROGRESS NOTES	HRS/MIN
LEARN		
PRACTICE		
PLAY		
	TOTAL TIME	

SHORT TERM GOALS

NOTES

/ / **DAY 7**

LEARN

PRACTICE

PLAY

PROGRESS NOTES

HRS/MIN

TOTAL TIME

SHORT TERM GOALS

NOTES

/ / **DAY 8**

	PROGRESS NOTES	HRS/MIN
LEARN		
PRACTICE		
PLAY		
	TOTAL TIME	

SHORT TERM GOALS

NOTES

/ / **DAY 9**

PROGRESS NOTES   HRS/MIN

LEARN

PRACTICE

PLAY

TOTAL TIME

SHORT TERM GOALS   NOTES

/ / **DAY 10**

	PROGRESS NOTES	HRS/MIN
LEARN		
PRACTICE		
PLAY		
	TOTAL TIME	

SHORT TERM GOALS

NOTES

"You are never too old to set another goal
or to dream a new dream"
- C.S. Lewis

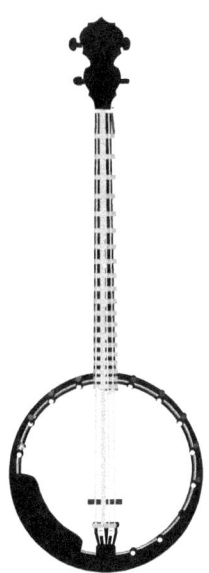

/ /

DAY 11

	PROGRESS NOTES	HRS/MIN
LEARN		
PRACTICE		
PLAY		
	TOTAL TIME	

SHORT TERM GOALS

NOTES

/ / **DAY 12**

PROGRESS NOTES HRS/MIN

LEARN

PRACTICE

PLAY

TOTAL TIME

SHORT TERM GOALS NOTES

/ / DAY 13

	PROGRESS NOTES	HRS/MIN
LEARN		
PRACTICE		
PLAY		
	TOTAL TIME	

SHORT TERM GOALS

NOTES

/ / **DAY 14**

PROGRESS NOTES — HRS/MIN

LEARN

PRACTICE

PLAY

TOTAL TIME

SHORT TERM GOALS — NOTES

/ / **DAY 15**

	PROGRESS NOTES	HRS/MIN
LEARN		
PRACTICE		
PLAY		
	TOTAL TIME	

SHORT TERM GOALS

NOTES

/ / **DAY 16**

PROGRESS NOTES　　　　HRS/MIN

LEARN

PRACTICE

PLAY

TOTAL TIME

SHORT TERM GOALS　　NOTES

/ / DAY 17

	PROGRESS NOTES	HRS/MIN
LEARN		
PRACTICE		
PLAY		
	TOTAL TIME	

SHORT TERM GOALS

NOTES

/ / **DAY 18**

PROGRESS NOTES **HRS/MIN**

LEARN

PRACTICE

PLAY

TOTAL TIME

SHORT TERM GOALS **NOTES**

/ / **DAY 19**

	PROGRESS NOTES	HRS/MIN
LEARN		
PRACTICE		
PLAY		
	TOTAL TIME	

SHORT TERM GOALS

NOTES

/ / DAY 20

LEARN	PROGRESS NOTES	HRS/MIN
PRACTICE		
PLAY		
		TOTAL TIME

SHORT TERM GOALS

NOTES

"I believe every guitar player inherently has something unique about their playing. They just have to identify what makes them different and develop it."

- Jimmy Page

/ / **DAY 21**

	PROGRESS NOTES	HRS/MIN
LEARN		
PRACTICE		
PLAY		
	TOTAL TIME	

SHORT TERM GOALS

NOTES

/ /　　　　　　　**DAY 22**

	PROGRESS NOTES	HRS/MIN
LEARN		
PRACTICE		
PLAY		
	TOTAL TIME	

SHORT TERM GOALS　　**NOTES**

/ / DAY 23

LEARN

PRACTICE

PLAY

PROGRESS NOTES

HRS/MIN

TOTAL TIME

SHORT TERM GOALS

NOTES

/ / **DAY 24**

	PROGRESS NOTES	HRS/MIN
LEARN		
PRACTICE		
PLAY		
	TOTAL TIME	

SHORT TERM GOALS

NOTES

/ / **DAY 25**

PROGRESS NOTES HRS/MIN

LEARN

PRACTICE

PLAY

TOTAL TIME

SHORT TERM GOALS NOTES

/ /

DAY 26

	PROGRESS NOTES	HRS/MIN
LEARN		
PRACTICE		
PLAY		

TOTAL TIME

SHORT TERM GOALS

NOTES

/   /   **DAY 27**

LEARN

PRACTICE

PLAY

PROGRESS NOTES   HRS/MIN

TOTAL TIME

SHORT TERM GOALS   NOTES

/ /   **DAY 28**

LEARN | **PROGRESS NOTES** | **HRS/MIN**

PRACTICE

PLAY

TOTAL TIME

SHORT TERM GOALS | **NOTES**

/ / **DAY 29**

LEARN — PROGRESS NOTES — HRS/MIN

PRACTICE

PLAY

TOTAL TIME

SHORT TERM GOALS | NOTES

/ /

DAY 30

LEARN | PROGRESS NOTES | HRS/MIN

PRACTICE

PLAY

TOTAL TIME

SHORT TERM GOALS | **NOTES**

"The beautiful thing about learning is that no one can take it away from you."

- B.B. King

/ / **DAY 31**

PROGRESS NOTES **HRS/MIN**

LEARN

PRACTICE

PLAY

TOTAL TIME

SHORT TERM GOALS **NOTES**

/ / **DAY 32**

LEARN	PROGRESS NOTES	HRS/MIN
PRACTICE		
PLAY		
	TOTAL TIME	

SHORT TERM GOALS

NOTES

/ / DAY 33

	PROGRESS NOTES	HRS/MIN
LEARN		
PRACTICE		
PLAY		

TOTAL TIME

SHORT TERM GOALS

NOTES

/ / DAY 34

LEARN

PRACTICE

PLAY

PROGRESS NOTES

HRS/MIN

TOTAL TIME

SHORT TERM GOALS

NOTES

90 DAY MUSICIAN'S DIARY 37

/ / **DAY 35**

	PROGRESS NOTES	HRS/MIN
LEARN		
PRACTICE		
PLAY		
	TOTAL TIME	

SHORT TERM GOALS | **NOTES**

/ / DAY 36

	PROGRESS NOTES	HRS/MIN
LEARN		
PRACTICE		
PLAY		
	TOTAL TIME	

SHORT TERM GOALS

NOTES

/ /

DAY 37

LEARN

PRACTICE

PLAY

PROGRESS NOTES

HRS/MIN

TOTAL TIME

SHORT TERM GOALS

NOTES

40 90 DAY MUSICIAN'S DIARY

/ / **DAY 38**

PROGRESS NOTES HRS/MIN

LEARN

PRACTICE

PLAY

TOTAL TIME

SHORT TERM GOALS NOTES

/ /   **DAY 39**

LEARN	PROGRESS NOTES	HRS/MIN
PRACTICE		
PLAY		
	TOTAL TIME	

SHORT TERM GOALS

NOTES

/ / DAY 40

PROGRESS NOTES HRS/MIN

LEARN

PRACTICE

PLAY

TOTAL TIME

SHORT TERM GOALS NOTES

"Just never give up. Try to believe in yourself and don't let negativity wear you down."

- *Orianthi*

/ / **DAY 41**

LEARN

PRACTICE

PLAY

PROGRESS NOTES

HRS/MIN

TOTAL TIME

SHORT TERM GOALS

NOTES

/ / DAY 42

	PROGRESS NOTES	HRS/MIN
LEARN		
PRACTICE		
PLAY		
	TOTAL TIME	

SHORT TERM GOALS

NOTES

/ / **DAY 43**

PROGRESS NOTES HRS/MIN

LEARN

PRACTICE

PLAY

TOTAL TIME

SHORT TERM GOALS NOTES

90 DAY MUSICIAN'S DIARY 47

/   /   **DAY 44**

LEARN	PROGRESS NOTES	HRS/MIN

PRACTICE

PLAY

TOTAL TIME

SHORT TERM GOALS

NOTES

/ / **DAY 45**

	PROGRESS NOTES	HRS/MIN.
LEARN		
PRACTICE		
PLAY		
	TOTAL TIME	

SHORT TERM GOALS

NOTES

/ /

DAY 46

	PROGRESS NOTES	HRS/MIN
LEARN		
PRACTICE		
PLAY		
	TOTAL TIME	

SHORT TERM GOALS

NOTES

/ / **DAY 47**

LEARN	PROGRESS NOTES	HRS/MIN
PRACTICE		
PLAY		
	TOTAL TIME	

SHORT TERM GOALS

NOTES

/ /

DAY 48

LEARN

PRACTICE

PLAY

PROGRESS NOTES

HRS/MIN

TOTAL TIME

SHORT TERM GOALS

NOTES

/ / **DAY 49**

LEARN

PRACTICE

PLAY

PROGRESS NOTES

HRS/MIN

TOTAL TIME

SHORT TERM GOALS

NOTES

/ / DAY 50

| LEARN | PROGRESS NOTES | HRS/MIN |

| PRACTICE | | |

| PLAY | | |

TOTAL TIME

SHORT TERM GOALS

NOTES

There is a guitar hero in you.

/ / DAY 51

LEARN | PROGRESS NOTES | HRS/MIN

PRACTICE

PLAY

TOTAL TIME

SHORT TERM GOALS | NOTES

/ /   DAY 52

PROGRESS NOTES   HRS/MIN

LEARN

PRACTICE

PLAY

TOTAL TIME

SHORT TERM GOALS   NOTES

/ /

DAY 53

LEARN

PRACTICE

PLAY

PROGRESS NOTES

HRS/MIN

TOTAL TIME

SHORT TERM GOALS

NOTES

/ / **DAY 54**

	PROGRESS NOTES	HRS/MIN
LEARN		
PRACTICE		
PLAY		
		TOTAL TIME

SHORT TERM GOALS **NOTES**

/ /

DAY 55

LEARN

PRACTICE

PLAY

PROGRESS NOTES

HRS/MIN

TOTAL TIME

SHORT TERM GOALS

NOTES

/ / DAY 56

PROGRESS NOTES   HRS/MIN

LEARN

PRACTICE

PLAY

TOTAL TIME

SHORT TERM GOALS   NOTES

/ /   **DAY 57**

	PROGRESS NOTES	HRS/MIN
LEARN		
PRACTICE		
PLAY		
	TOTAL TIME	

SHORT TERM GOALS

NOTES

/ / DAY 58

PROGRESS NOTES HRS/MIN

LEARN

PRACTICE

PLAY

TOTAL TIME

SHORT TERM GOALS NOTES

/ /

DAY 59

LEARN | PROGRESS NOTES | HRS/MIN

PRACTICE

PLAY

TOTAL TIME

SHORT TERM GOALS | NOTES

/ / **DAY 60**

	PROGRESS NOTES	HRS/MIN
LEARN		
PRACTICE		
PLAY		
	TOTAL TIME	

SHORT TERM GOALS

NOTES

"JUST PLUG THE F#%K IN."

- Slash

/ / **DAY 61**

	PROGRESS NOTES	HRS/MIN
LEARN		
PRACTICE		
PLAY		

TOTAL TIME

SHORT TERM GOALS

NOTES

/ / DAY 62

LEARN	PROGRESS NOTES	HRS/MIN
PRACTICE		
PLAY		
	TOTAL TIME	

SHORT TERM GOALS

NOTES

/ / DAY 63

	PROGRESS NOTES	HRS/MIN
LEARN		
PRACTICE		
PLAY		

TOTAL TIME

SHORT TERM GOALS

NOTES

DAY 64

/ /

	PROGRESS NOTES	HRS/MIN
LEARN		
PRACTICE		
PLAY		
	TOTAL TIME	

SHORT TERM GOALS

NOTES

/ / DAY 65

LEARN

PRACTICE

PLAY

PROGRESS NOTES

HRS/MIN

TOTAL TIME

SHORT TERM GOALS

NOTES

90 DAY MUSICIAN'S DIARY 71

DAY 66

/ /

	PROGRESS NOTES	HRS/MIN
LEARN		
PRACTICE		
PLAY		
	TOTAL TIME	

SHORT TERM GOALS

NOTES

/ / **DAY 67**

PROGRESS NOTES · HRS/MIN

LEARN

PRACTICE

PLAY

TOTAL TIME

SHORT TERM GOALS · NOTES

/ / DAY 68

	PROGRESS NOTES	HRS/MIN
LEARN		
PRACTICE		
PLAY		

TOTAL TIME

SHORT TERM GOALS

NOTES

/ /   DAY 69

LEARN

PRACTICE

PLAY

PROGRESS NOTES

HRS/MIN

TOTAL TIME

SHORT TERM GOALS

NOTES

/ /　　　　　　　　DAY 70

	PROGRESS NOTES	HRS/MIN
LEARN		
PRACTICE		
PLAY		
	TOTAL TIME	

SHORT TERM GOALS

NOTES

"Whenever I get down on my playing, I just bend a note, shake it and listen. What I hear sounds so great it makes me realize that even a rut doesn't suck."

- *Dimebag Darrell*

/ / / **DAY 71**

	PROGRESS NOTES	HRS/MIN
LEARN		
PRACTICE		
PLAY		
	TOTAL TIME	

SHORT TERM GOALS

NOTES

/ / DAY 72

LEARN | PROGRESS NOTES | HRS/MIN

PRACTICE

PLAY

TOTAL TIME

SHORT TERM GOALS | **NOTES**

/ / **DAY 73**

LEARN	PROGRESS NOTES	HRS/MIN
PRACTICE		
PLAY		

TOTAL TIME

SHORT TERM GOALS

NOTES

/ / DAY 74

	PROGRESS NOTES	HRS/MIN
LEARN		
PRACTICE		
PLAY		
	TOTAL TIME	

SHORT TERM GOALS

NOTES

/ /   DAY 75

	PROGRESS NOTES	HRS/MIN
LEARN		
PRACTICE		
PLAY		
	TOTAL TIME	

SHORT TERM GOALS

NOTES

/ / **DAY 76**

	PROGRESS NOTES	HRS/MIN
LEARN		
PRACTICE		
PLAY		
		TOTAL TIME

SHORT TERM GOALS

NOTES

/ /

DAY 77

PROGRESS NOTES | HRS/MIN

LEARN

PRACTICE

PLAY

TOTAL TIME

SHORT TERM GOALS | NOTES

84 90 DAY MUSICIAN'S DIARY

/ / DAY 78

PROGRESS NOTES　　　　HRS/MIN

LEARN

PRACTICE

PLAY

TOTAL TIME

SHORT TERM GOALS　　NOTES

/ / **DAY 79**

PROGRESS NOTES　　　HRS/MIN

LEARN

PRACTICE

PLAY

TOTAL TIME

SHORT TERM GOALS　　**NOTES**

/ / DAY 80

PROGRESS NOTES　　HRS/MIN

LEARN

PRACTICE

PLAY

TOTAL TIME

SHORT TERM GOALS　　NOTES

"Relax.

Be yourself.

Play a lot."

-Joe Satriani

/ /　　　　　　　　　　**DAY 81**

PROGRESS NOTES　　　　　　　**HRS/MIN**

LEARN

PRACTICE

PLAY

　　　　　　　　　　　　　　　　TOTAL TIME

SHORT TERM GOALS　　**NOTES**

/ /

DAY 82

	PROGRESS NOTES	HRS/MIN
LEARN		
PRACTICE		
PLAY		
	TOTAL TIME	

SHORT TERM GOALS

NOTES

/ / **DAY 83**

PROGRESS NOTES **HRS/MIN**

LEARN

PRACTICE

PLAY

TOTAL TIME

SHORT TERM GOALS **NOTES**

/ / **DAY 84**

LEARN	PROGRESS NOTES	HRS/MIN

PRACTICE

PLAY

TOTAL TIME

SHORT TERM GOALS | **NOTES**

92 90 DAY MUSICIAN'S DIARY

/ / DAY 85

LEARN

PRACTICE

PLAY

PROGRESS NOTES

HRS/MIN

TOTAL TIME

SHORT TERM GOALS

NOTES

DAY 86

/ /

LEARN | **PROGRESS NOTES** | **HRS/MIN**

PRACTICE

PLAY

TOTAL TIME

SHORT TERM GOALS | **NOTES**

/ / **DAY 87**

PROGRESS NOTES **HRS/MIN**

LEARN

PRACTICE

PLAY

TOTAL TIME

SHORT TERM GOALS **NOTES**

/ /

DAY 88

PROGRESS NOTES   **HRS/MIN**

LEARN

PRACTICE

PLAY

TOTAL TIME

SHORT TERM GOALS   **NOTES**

96   90 DAY MUSICIAN'S DIARY

/ / DAY 89

LEARN	PROGRESS NOTES	HRS/MIN
PRACTICE		
PLAY		

TOTAL TIME

SHORT TERM GOALS

NOTES

/ /

DAY 90

LEARN

PRACTICE

PLAY

PROGRESS NOTES

HRS/MIN

TOTAL TIME

SHORT TERM GOALS

NOTES

90 DAY REVIEW

How did you go?

What's Next?

You may not have hit all your targets and that's not a bad thing – it will make you even more resilient if you continue. When we first write down our goals, they seem easier to achieve than they really are. Consistency and repetition are the key.

When you realise they require a bit more work, that's when the beast inside really comes out.

ALSO CHECK OUT

Why Can't I Play Like Jimmy by Mick Costello.

A comprehensive guide to developing solid practice habits. And a growth mind set.

www.ingramcontent.com/pod-product-compliance
Lightning Source LLC
LaVergne TN
LVHW061047100526
838202LV00080B/4049